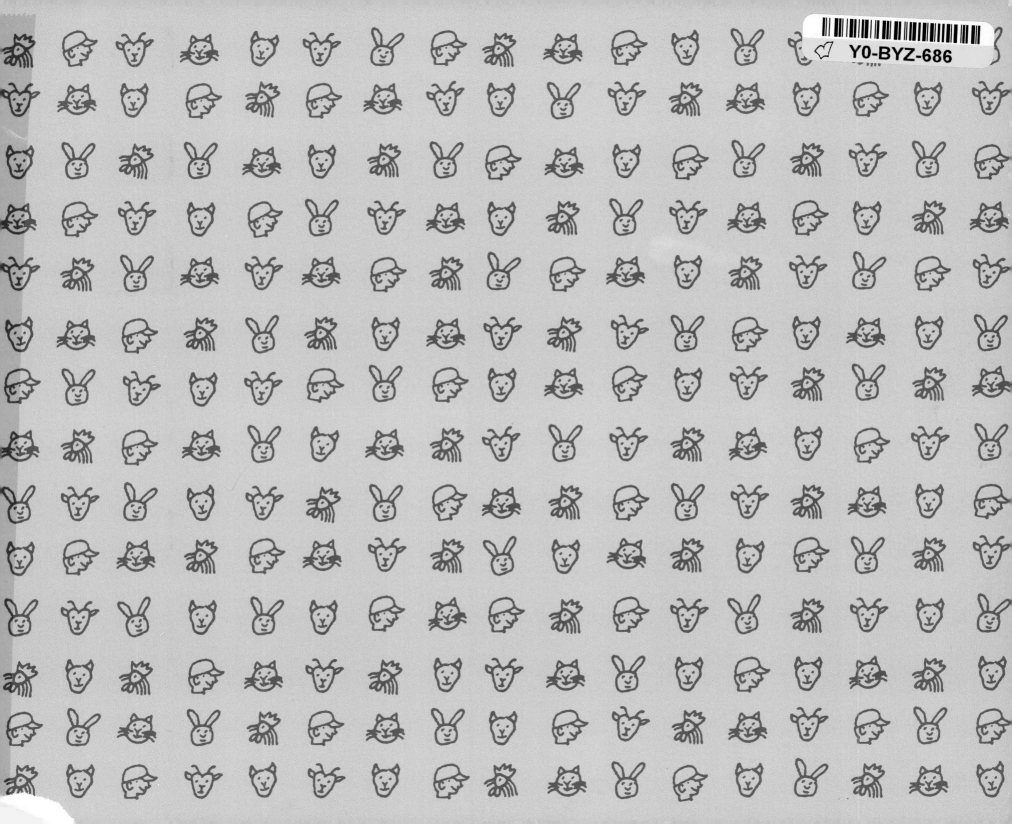

To our good friend, Hisako,
from Eric and Kazuo.

ISBN 0-439-74041-X

Copyright © 2001 by Eric Carle and Kazuo Iwamura.

First published in Japan in 2001 by Doshin-sha Publishing Co. All rights reserved.

Published by Orchard Books, an imprint of Scholastic Inc. ORCHARD BOOKS

and design are registered trademarks of Watts Publishing Group, Ltd.,

used under license. SCHOLASTIC and associated logos are trademarks

and/or registered trademarks of Scholastic Inc.

12 11 10 9 8 7 6 5 4 3 2   5 6 7 8 9 10/0

Printed in the U.S.A.   08

First Scholastic paperback printing, January 2005

Front cover illustration copyright © 2001 by Eric Carle

Back cover illustration copyright © 2001 by Kazuo Iwamura

Eric Carle & Kazuo Iwamura

Where Are You Going?
To See My Friend!

SCHOLASTIC INC.

New York Toronto London Auckland Sydney
Mexico City New Delhi Hong Kong Buenos Aires

Where are you going?

 To see my friend.

 What is your friend like?

 A good singer

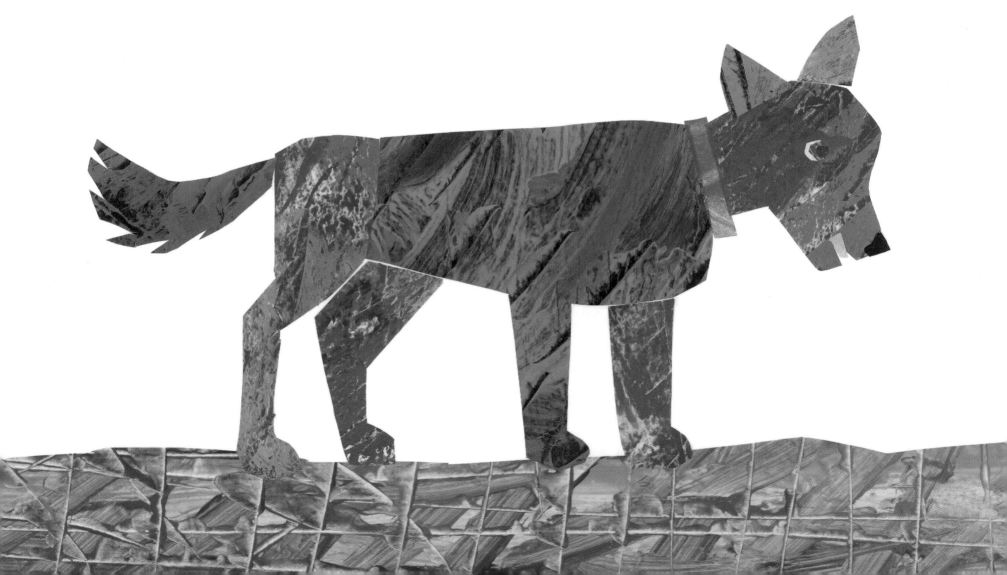

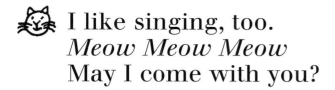 I like singing, too.
Meow Meow Meow
May I come with you?

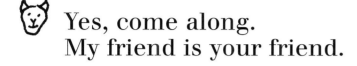 Yes, come along.
My friend is your friend.

Where are you going?

To see my friend.

What is your friend like?

A good singer

I like singing, too.
Cock a doodle doo
May I come with you?

Yes, come along.
Our friend is your friend.

Where are you going?

To see my friend.

What is your friend like?

A good singer

I like singing, too.
Baa Baa Baa
May I come with you?

Yes, come along.
Our friend is your friend.

Where are you going?

To see my friend.

What is your friend like?

A good singer

and a good dancer

I like dancing, too.
Hop Hop Hop
May I come with you?

Yes, come along.
Our friend is your friend.

Hop Hop Hop

Baa Baa Baa

Cock a doodle doo

Meow Meow Meow

Bow Wow Wow

Hop Hop Hop

Baa Baa Baa

Cock a doodle doo

Meow Meow Meow

Bow Wow Wow
These are my Friends.

Wonderful!
Your friends are my friends, too.
You are good singers and good dancers!

タッ タッ タッ   Bow   Wow   Wow   Meow Meow Meow   Cock a dood-le doo   —

tat   tat   tat

My friends have come.
Now let's sing and dance!

わたしの ともだちが きたよ。
wa ta she no toe mo da chi ga kee ta yo

さあ、うたお！
sa ah uh ta oh ！

さあ、おどろ！
sa ah oh doe ro ！

Baa Baa Baa   Hop Hop Hop   あいたいな あいたいな   ともだちに あい
ah ee ta ee na   ah ee ta ee na   toe mo da chi ni ah ee

ワン ワン ワン
みんな ぼくの
ともだちだよ。

わーい！
あなたの ともだちは
わたしの ともだちよ。
みんな うたが うまいし
ダンスも じょうず。

どんな　ともだち？
don na / toe mo da chi ?

うたが　うまいんだ。
uu ta ga / uu ma een da

ダンスも　じょうず。
dan su mo / jo uu zu

いいとも。
ee ee toe mo

ぼくらの　ともだちは
bo ku ra no / toe mo da chi wa

きみの　ともだちさ。
kee mi no / toe mo da chi sa

ダンスなら　ぼくも　だいすき。
dan su na ra / bo ku mo / da ee su kee

タッ　タッ　タッ
tat tat tat

ぼくも　あいたいな。
bo ku mo / ah ee ta ee na

どこへ いくの？
doe ko eh ee ku no ?

ともだちに あいに！
toe mo da chi ni ah ee ni !

いいとも。
ぼくらの ともだちは
きみの ともだちさ。

ee ee toe mo
bo ku ra no toe mo da chi wa
kee mi no toe mo da chi sa

うたなら ぼくも だいすき。
メェー メェー メェー
ぼくも あいたいな。

uu ta na ra bo ku mo da ee su kee
meh meh meh
bo ku mo ah ee ta ee na

どこへ　いくの？

doe ko eh ee ku no ?

ともだちに　あいに！

toe mo da chi ni ah ee ni !

どんな　ともだち？

don na toe mo da chi ?

うたが　うまいんだ。

uu ta ga uu ma een da

いいとも。

ぼくらの ともだちは
きみの ともだちさ。

ee ee toe mo

bo ku ra no toe mo da chi wa

kee mi no toe mo da chi sa

うたなら わたしも だいすき。

コッ コッ コケーコ
わたしも あいたいな。

uu ta na ra wa ta she mo da ee su kee

kok kok ko keh ko

wa ta she mo ah ee ta ee na

どこへ いくの？

doe
ko
eh

ee
ku
no

?

ともだちに あいに！

toe
mo
da
chi
ni

ah
ee
ni

!

どんな ともだち？

don
na

toe
mo
da
chi

？

うたが うまいんだ。

uu
ta
ga

uu
ma
een

da

いいとも。
ぼくの　ともだちは
きみの　ともだちさ。

ee ee toe mo

bo ku no toe mo da chi wa

kee mi no toe ma da chi sa

うたなら　わたしも　だいすき。
ニャオ　ニャオ　ニャオ
わたしも　あいたいな。

uu ta na ra wa ta she mo da ee su kee

nia oh nia oh nia oh

wa ta she mo ah ee ta ee na

どこへ　いくの？

doe ko eh　ee ku no ？

ともだちに　あいに！

toe mo da chi ni　ah ee ni ！

どんな　ともだち？

don na　toe mo da chi ？

うたが　うまいんだ。

uu ta ga　uu ma een da

どこへ
doe
ko
eh

いくの？
ee
ku
no
?

ともだちに
toe
mo
da
chi
ni

あいに！
ah
ee
ni
!

いわむら かずお
エリック・カール

スカラスティック社　オーチャード・ブックス部門

ニューヨーク

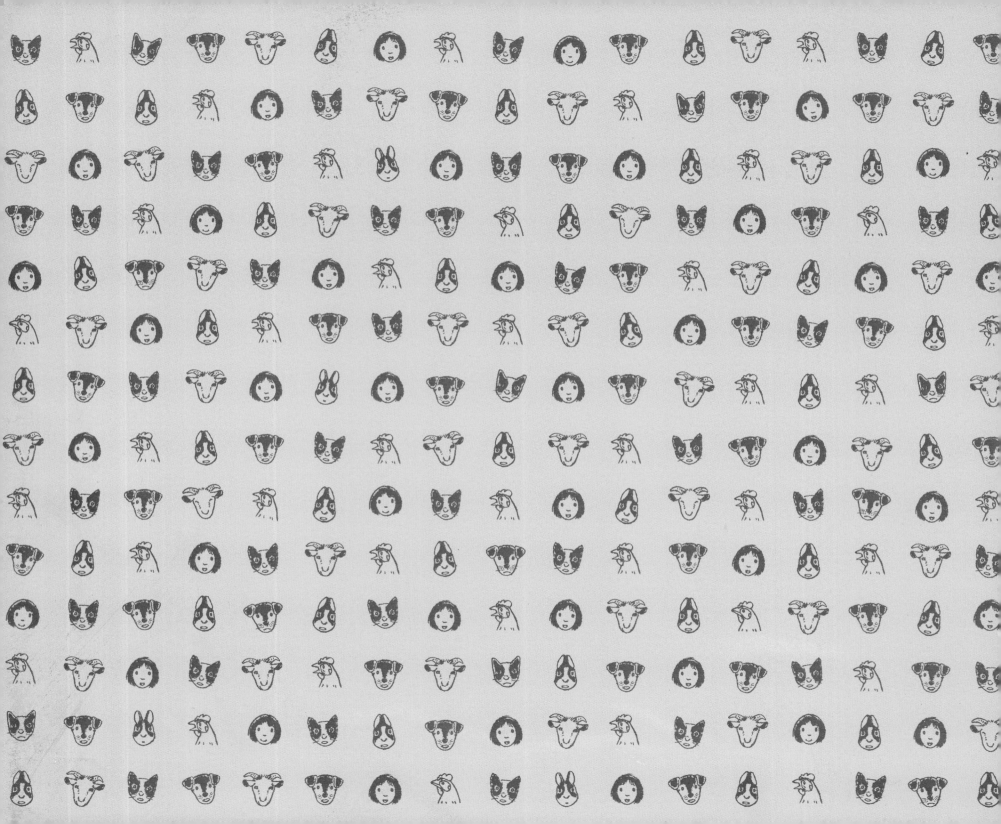

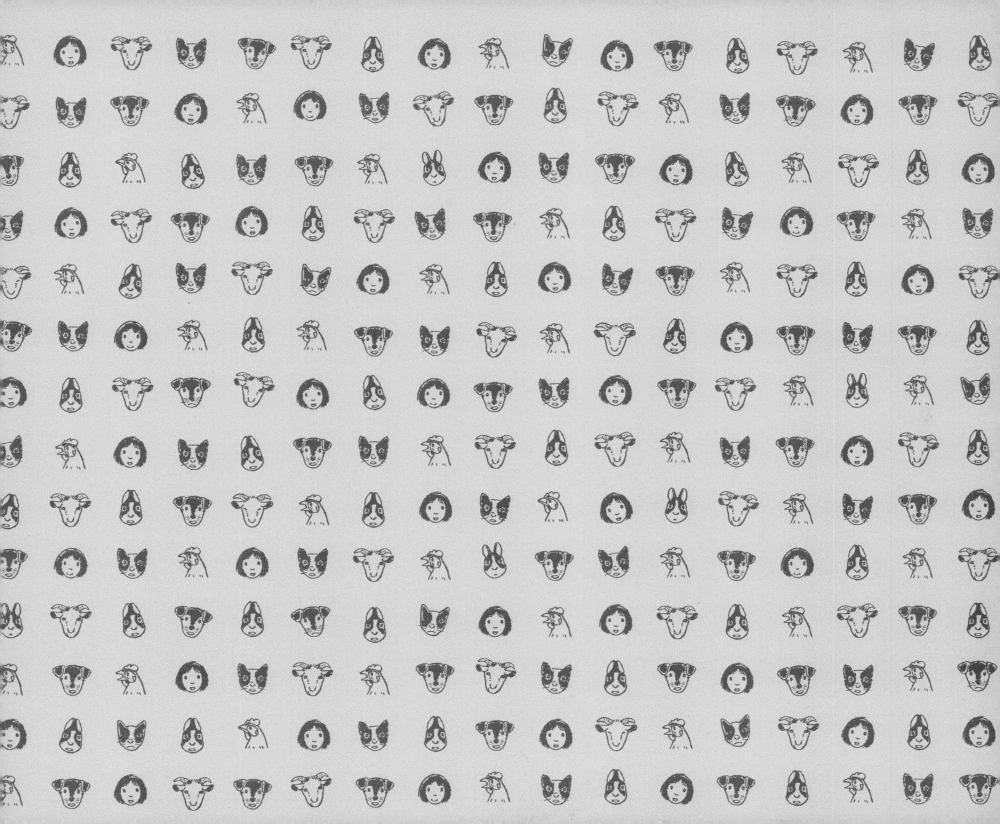